Bach for Guitar

27 Transkriptionen für Gitarre
27 Transcriptions for Guitar
27 Transcriptions pour Guitare

von / by / par
Martin Hegel

ED 21601
ISMN 979-0-001-19253-8

www.schott-music.com

Mainz · London · Berlin · Madrid · New York · Paris · Prague · Tokyo · Toronto
© 2013 SCHOTT MUSIC GmbH & Co. KG, Mainz · Printed in Germany

Vorwort

Zu den Vorzügen der Bachschen Musik gehört, dass sie universal und zu einem gewissen Teil unabhängig von den Instrumenten ist, für die sie komponiert wurde. Seine Musik ist so genial und klar strukturiert, dass sie auf jedem Instrument einfach gut klingt. Die vorliegenden Kompositionen von Johann Sebastian Bach gehören mit Sicherheit zu seinen bekanntesten und erfreuen sich großer Popularität. Daher werden es sicher auch die Gitarristen zu schätzen wissen, dass sie diese großartige Musik auf ihrem Instrument spielen können. Die vorliegende Sammlung enthält Werke, die original für die unterschiedlichsten Instrumente und Besetzungen komponiert wurden (Orchestermusik, Klaviermusik, Solosuiten für Violine, Cello oder Laute, Orgelmusik u.a), sich aber sehr gut auf der Gitarre realisieren lassen und eine Bereicherung für das Unterrichts- und Konzertrepertoire sind.

Dabei war mir wichtig, dass durch die Adaption ein vollwertiges Gitarrenstück mit einem kompakten Gitarrensatz entsteht. In den meisten Fällen musste der kompositorische Satz etwas reduziert werden, in wenigen Ausnahmen wurden aber auch Tönen hinzugefügt. Dabei wurde darauf geachtet, dass die Gitarre weder unter- noch überfordert wird und die musikalische Intention bzw. der Gestus der Stücke problemlos realisierbar ist.

Bei Kompositionen mit besonders liedhaften bzw. kantablen Charakter habe ich mich zugunsten einer problemlosen Melodieführung konsequent für eine schlanke Zweistimmigkeit entschieden. Auch bei kaum zu realisierenden drei- bis vierstimmige Stellen wurde der Satz behutsam in eine auf der Gitarre gut darzustellende Zweistimmigkeit umgewandelt.

Martin Hegel

Preface

One of the merits of Bach's music is its universality, making it in some measure independent of the instruments for which it was composed: his music is so inspired and so clearly structured that it sounds good on any instrument. These compositions by Johann Sebastian Bach are surely among his best known and best loved pieces, so guitarists will doubtless appreciate being able to play this wonderful music on their instrument, too. This collection includes pieces originally composed for a variety of different instruments and ensembles (including orchestral music, piano pieces, solo suites for violin, cello or lute and organ music), which may however be played very effectively on the guitar, representing a welcome addition to the repertoire for tuition purposes and concert performance.

I have been mindful that any adaptation should result in a proper guitar piece, concisely arranged to suit the instrument. In most cases the music has been simplified to some extent, though in a few places notes have actually been added. Care has been taken to make these arrangements neither too easy nor too difficult for effective performance on the guitar, simply conveying the musical essence or spirit of the pieces.

For compositions with a particularly lyrical or *cantabile* style I have decided on a simple two-part setting in order to achieve clarity in the melodic line. Similarly, where three or four parts pose too great a challenge, the music has been carefully adapted for playing in a straightforward two-part setting on the guitar.

Martin Hegel
Translation Julia Rushworth

Prélude

Johann Sebastian Bach
Arr.: Martin Hegel

aus / from: Suite No. 1 für Cello BWV 1007

55 480

4

Badinerie

Johann Sebastian Bach
Arr.: Martin Hegel

aus / from: Suite No. 2 für Orchester BWV 1067

55 480

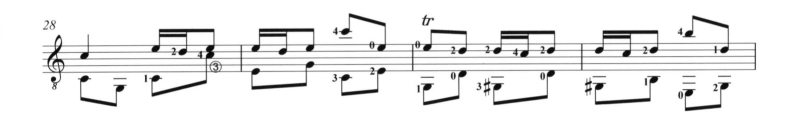

Aria

Johann Sebastian Bach
Arr.: Martin Hegel

aus / from: Goldberg-Variationen BWV 988

Jesus bleibet meine Freude

Johann Sebastian Bach
Arr.: Martin Hegel

aus / from: Cantata „Herz und Mund und Tat und Leben" BWV 147

Sinfonia

Johann Sebastian Bach
Arr.: Martin Hegel

aus / from: Cantata „Ich steh mit einem Fuß im Grabe" BWV 147

Toccata

Johann Sebastian Bach
Arr.: Martin Hegel

aus / from: Toccata und Fuge d-Moll / D minor BWV 565   55 480

15

55 480

Inventio No. 1

BWV 772

Johann Sebastian Bach
Arr.: Martin Hegel

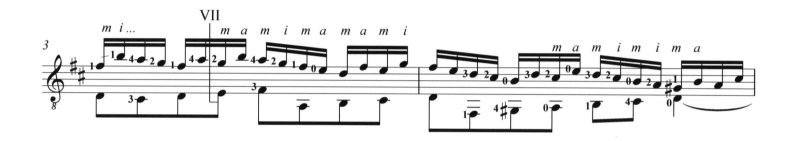

55 480

55 480

Praeludium I
BWV 846

Johann Sebastian Bach
Arr.: Martin Hegel

aus / from: Wohltemperiertes Klavier I

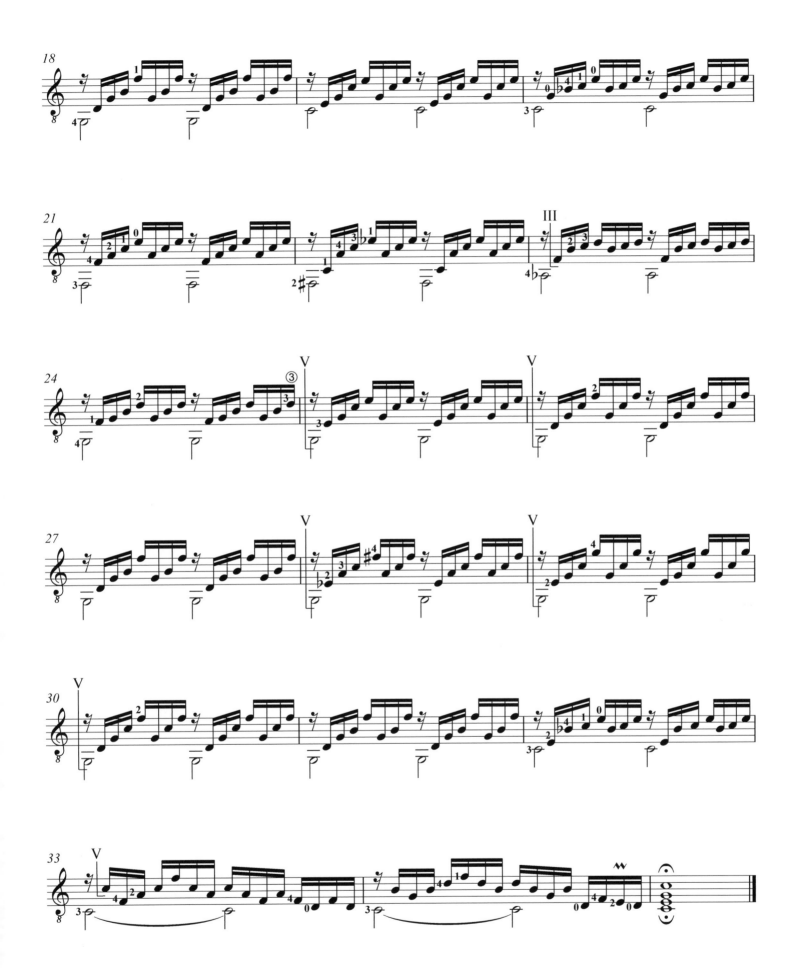

Air

Johann Sebastian Bach
Arr.: Martin Hegel

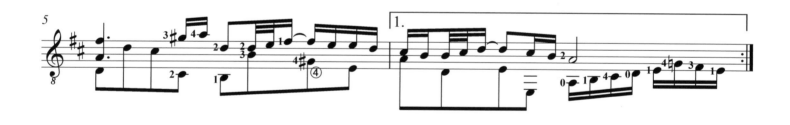

aus / from: Suite No. 3 für Orchester BWV 1068

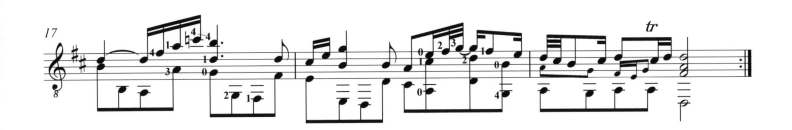

Bourrée I

Johann Sebastian Bach
Arr.: Martin Hegel

aus / from: Suite No. 3 für Cello BWV 1009

Sarabande

Johann Sebastian Bach
Arr.: Martin Hegel

aus / from: Suite No. 6 für Cello BWV 1012

55 480

Sieben Stücke aus dem „Notenbüchlein für Anna Magdalena Bach" (1725)

I Aria: So oft ich meine Tobackspfeife
BWV 515b

Johann Sebastian Bach
Arr.: Martin Hegel

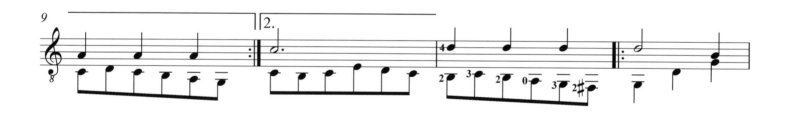

II Menuet
BWV Anh. 114

55 480

III Aria: Bist du bei mir
BWV 508

55 480

IV Menuet
BWV Anh. 115

V Marche
BWV Anh. 122

VI Aria: Gedenke doch, mein Geist, zurücke
BWV 509

55 480

VII Musette

BWV Anh. 126

Adagio

Johann Sebastian Bach
Arr.: Martin Hegel

aus / from: Concerto III BWV 974

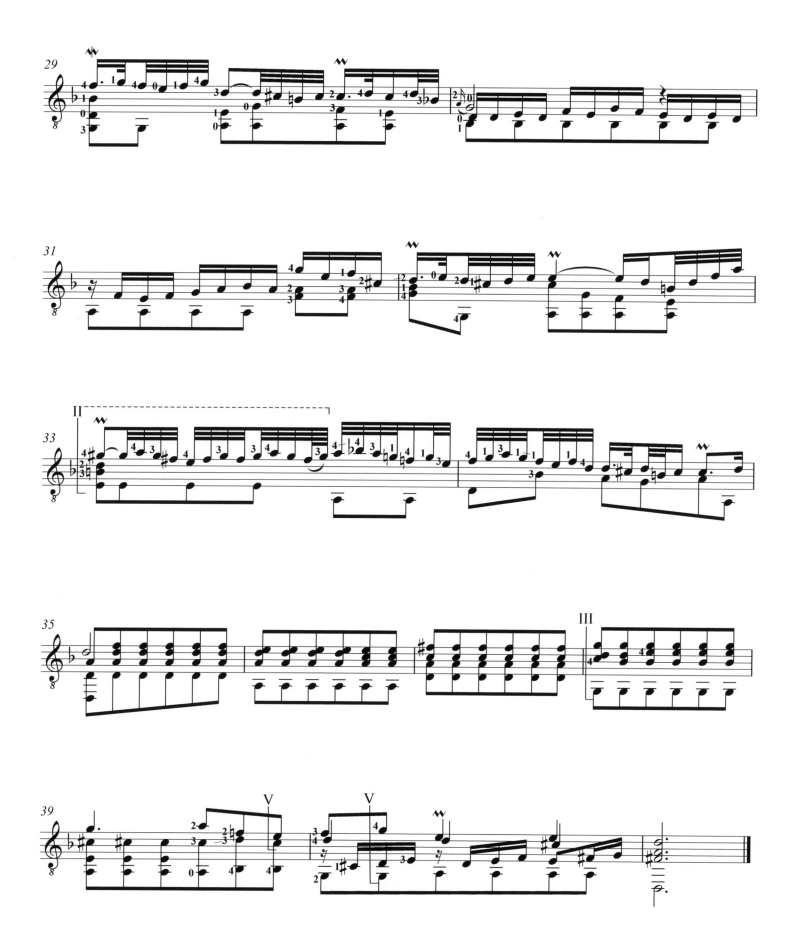

Praeludium XXI

Johann Sebastian Bach
Arr.: Martin Hegel

aus / from: Präludium und Fuge BWV 866

55 480

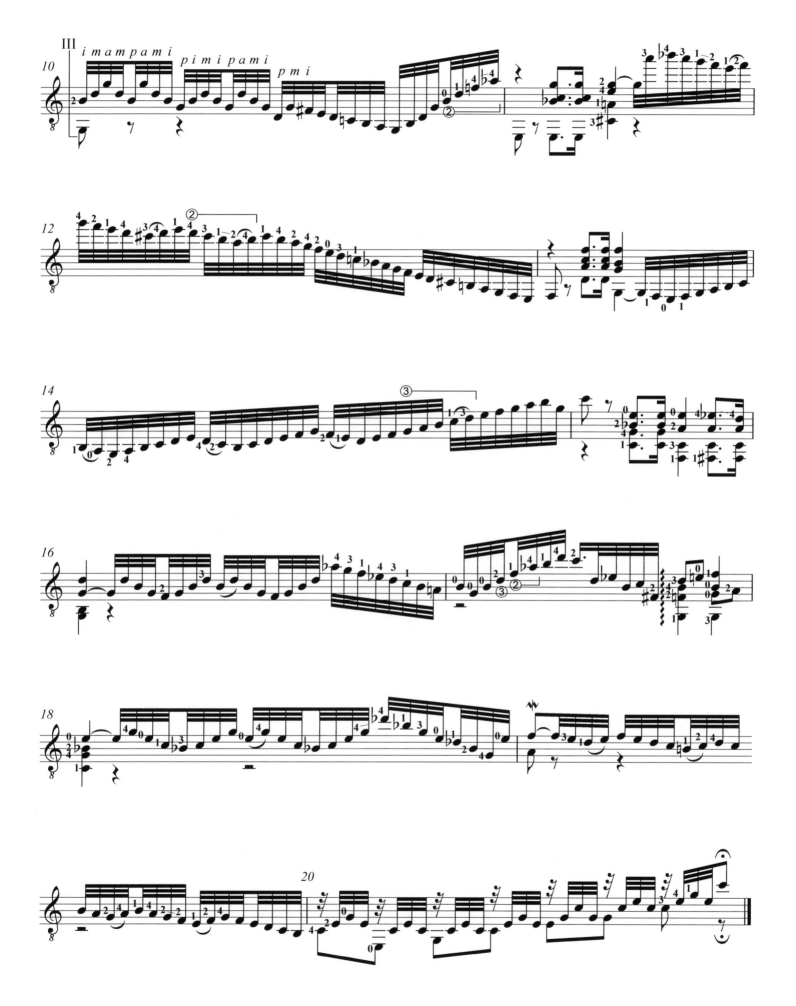

In dulci jubilo

BWV 751

Johann Sebastian Bach
Arr.: Martin Hegel

55 480

Bourrée

Johann Sebastian Bach
Arr.: Martin Hegel

aus / from: Suite für Laute BWV 996

55 480

Gavotte I

Johann Sebastian Bach
Arr.: Martin Hegel

aus / from: Suite No. 6 für Cello BWV 1012

55 480

Praeludium No.2

BWV 934

Johann Sebastian Bach
Arr.: Martin Hegel

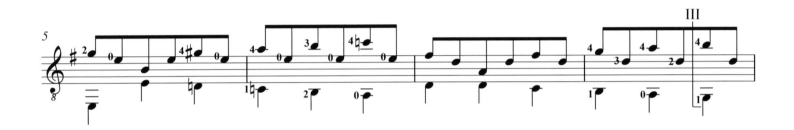

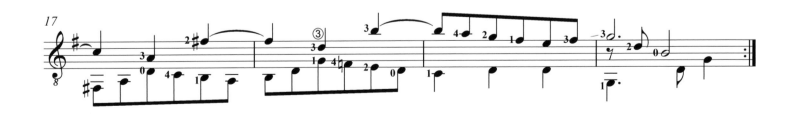

Tempo di Bourrée

Johann Sebastian Bach
Arr.: Martin Hegel

aus / from: Partita für Violine BWV 1002

55 480

Praelude pour la luth

BWV 999

Johann Sebastian Bach
Arr.: Martin Hegel

55 480

Andante

Johann Sebastian Bach
Arr.: Martin Hegel

aus / from: Sonate für Violine BWV 1003/964

Schott Music, Mainz 55 480

Inhalt / Contents / Table des matières

Die Transkriptionen sind auf der CD „Martin Hegel – BACH SOLO"
bei Acoustic Music Records (Best.-Nr. 319.1492.2) erschienen.